Palmirinha

Bolo salgado de milho-verde

2 latas de milho cozido no vapor • 1 xícara de leite • 2 ovos • ½ colher (chá) de sal • 7 colheres (chá) de farinha de trigo • ½ colher (sopa) de fermento em pó • 250 g de queijo minas fresco picadinho • 1 xícara de vagem pré-cozida cortada em rodelas

1 Bata no liquidificador o milho, o leite, os ovos e o sal até obter uma mistura homogênea. 2 Desligue, despeje em uma tigela e acrescente a farinha e o fermento. Misture e coloque metade da massa em uma assadeira untada e enfarinhada. 3 Misture o queijo e a vagem e espalhe. Cubra com o restante da massa. 4 Asse em forno médio (180 °C), preaquecido, por aproximadamente 35 minutos ou até que ao espetar um palito no centro ele saia seco e a torta esteja dourada.

Tempo de preparo: 1 hora

Rende 6 porções

Quiche de atum com azeitonas

Massa 300 g de farinha de trigo • 1 colher (sopa) de amido de milho • 1 colher (chá) de sal • 150 g de manteiga • 2 gemas • 2 colheres (sopa) de água gelada **Recheio** 2 latas de atum • 1 xícara de azeitonas verdes • 1 xícara de milho em conserva • 1 tomate picado • salsinha e cebolinha picadas a gosto • 1 colher (sopa) de azeite • 2 colheres (sopa) de requeijão

Massa Bata no processador a farinha, o amido de milho, o sal e a manteiga até formar uma farofa. Em seguida, adicione as gemas, a água e misture a massa até que fique homogênea. Se necessário, acrescente mais água aos poucos. Forre fôrmas próprias para tortinhas com a massa e leve para assar em forno preaquecido a 180 °C por cerca de 25 minutos ou até que fiquem douradas. Reserve. **Recheio** Misture todos os ingredientes. **Montagem** Recheie as quiches e sirva a seguir.

Quiche de palmito com tomate-cereja

Massa 4 colheres (sopa) de manteiga cremosa sem sal • uma pitada de sal • 1½ xícara de farinha de trigo **Recheio** 200 g de creme de leite • 1 ovo • 2 claras • 150 g de queijo minas • 2 xícaras de palmito cortado em rodelas • ½ colher (chá) de sal • pimenta-do-reino a gosto • 10 tomates-cereja cortados ao meio **Montagem** manjericão fresco para decorar

Massa Misture a manteiga e o sal e vá adicionando a farinha de trigo até obter uma massa firme que desgrude das mãos. Se necessário, acrescente um pouco de água. Deixe a massa descansar enquanto prepara o recheio. **Recheio** Bata no liquidificador o creme de leite, o ovo, as claras e o queijo. Coloque a mistura em uma tigela e acrescente o palmito, o sal e pimenta. Mexa bem. **Montagem 1** Abra a massa em uma mesa enfarinhada e forre o fundo e as laterais de uma fôrma média de aro removível (22 cm de diâmetro). Coloque o recheio e espalhe os tomates com a polpa virada para baixo. **2** Leve ao forno médio (180° C), preaquecido, por cerca de 30 minutos. Retire do forno, decore com folhas de manjericão e sirva.

Quiche de brócolis

Massa 1 pacote de biscoito integral • 50 g de manteiga • 3 colheres (sopa) de iogurte natural **Recheio** 2 ovos • ½ xícara de iogurte natural • 1 xícara de cottage • ½ colher (chá) de sal • 1½ xícara de brócolis cozido **Montagem** 3 colheres (sopa) de queijo parmesão ralado

Massa Triture os biscoitos com a manteiga e o iogurte no liquidificador até obter uma farofa. Forre o fundo e as laterais de uma fôrma para tortas e reserve. **Recheio** Bata os ovos, o iogurte, o cottage e o sal até obter um creme. Misture o brócolis **Montagem** Cubra a massa com o recheio. Salpique o queijo ralado e leve ao forno médio (180 °C), preaquecido, até dourar.

Rende 6 porções

Tempo de preparo: 1 hora

Torta de carne moída

Recheio 1 colher (sopa) de azeite de oliva • 1 cebola pequena picada • 1 dente de alho picado • 250 g de carne moída magra • 2 tomates sem sementes picados • 1 colher (sopa) de salsinha picada **Massa** 2 xícaras de leite • ½ colher (chá) de sal • 2 ovos • ½ xícara de óleo • 1¼ xícara de farinha de trigo • 1 colher (sopa) de fermento em pó

Recheio Aqueça o azeite e refogue a cebola, o alho e a carne. Retire do fogo e acrescente os tomates e a salsinha. Misture e espere esfriar. **Massa** Bata no liquidificador o leite, o sal, os ovos e o óleo. Sem parar de bater, acrescente a farinha de trigo aos poucos. Retire do liquidificador e misture o fermento. **Montagem** Em uma assadeira média untada com óleo e enfarinhada, coloque a massa e espalhe o recheio. Leve ao forno médio (180 °C), preaquecido, por cerca de 30 minutos.

Torta de legumes

Massa ½ xícara de leite • 1 ovo • 2 colheres (sopa) de farinha de trigo • ½ colher (sopa) de fermento em pó • 1 colher (chá) de sal • 2 colheres (sopa) de cheiro-verde • ½ cebola picada • 1 dente de alho picado **Recheio** 2 tomates sem pele e sem sementes picados • ¼ de xícara de brócolis cozido picado • ¼ de xícara de ervilhas frescas • ¼ de xícara de cenouras em cubinhos • ¼ de xícara de mozarela em cubinhos • ¼ de xícara de peito de peru em cubinhos

Massa Bata no liquidificador o leite e o ovo. Junte a farinha, o fermento, o sal, o cheiro-verde, a cebola e o alho. Bata bem. **Recheio** Misture os legumes, o queijo e o peito de peru. Adicione à massa. **Montagem** Coloque em um pirex untado com margarina e leve ao forno médio por 30 a 45 minutos ou até dourar.

Tempo de preparo: 1 hora

Rende 10 porções

Torta de queijo

2 colheres (sopa) de parmesão ralado **Massa** 4 ovos • 1½ xícara de leite • ½ xícara de óleo • 1 xícara de farinha de trigo • ½ colher (chá) de sal • ½ colher (chá) de fermento em pó **Recheio** 100 g de queijo gorgonzola picado • 100 g de mozarela ralada • 2 tomates sem sementes picados • 1 colher (sopa) de folhas de manjericão • 2 colheres (sopa) de azeitonas verdes picadas

Massa No liquidificador, bata os ingredientes da massa e coloque em uma assadeira untada e enfarinhada. **Recheio** Misture os ingredientes do recheio. **Montagem** Distribua o recheio sobre a massa e salpique com o parmesão. Leve ao forno médio (180 °C), preaquecido, por cerca de 30 minutos. Sirva em seguida.

Torta de vegetais

Massa 1 pote de iogurte natural • 2 colheres (sopa) de manteiga sem sal • ¼ de colher (chá) de sal • 1 xícara de farinha de trigo integral • 1 xícara de farinha de trigo **Recheio** 1 cebola picada • 1 colher (chá) de azeite de oliva • 1 xícara de flores de brócolis cozidas • 1 xícara de buquês de couve-flor cozidos • ½ xícara de vagens pré-cozidas cortadas em rodelas • ½ xícara de tomates-cereja cortados ao meio • 3 colheres (sopa) de farinha de trigo • 2 xícaras de leite • ½ colher (chá) de sal • ½ colher (chá) de salsinha picada • 1 gema

Massa Em uma tigela, coloque o iogurte, a manteiga e o sal. Adicione a farinha de trigo integral e, aos poucos, acrescente a farinha de trigo até obter uma massa firme e maleável. Deixe descansar por 20 minutos. **Recheio** **1** Doure a cebola no azeite e junte os vegetais. Deixe refogar por 5 minutos. **2** Dissolva a farinha no leite e adicione ao refogado. Deixe engrossar, tempere com o sal e junte a salsinha. Retire do fogo e espere esfriar. **Montagem** **1** Reserve ¼ de massa para decorar. Abra o restante em uma superfície enfarinhada e forre o fundo e as laterais de um refratário retangular médio. **2** Distribua o recheio. Abra o restante da massa reservada e corte-a em tiras. Coloque sobre o recheio. **3** Pincele a gema e asse em forno médio (180 °C), preaquecido, por cerca de 30 minutos ou até a torta ficar firme e dourada. Espere amornar e sirva.

Rocambole salgado

Massa 1 ovo • 30 g de fermento • 1 colher (sopa) rasa de açúcar • ½ xícara de leite morno • ¼ de xícara de óleo • 2½ xícaras de farinha **Recheio** 200 g de peito de peru • 200 g de queijo prato • 6 azeitonas pretas ou verdes picadas • 3 tomates maduros • orégano a gosto

Massa 1 Bata o ovo e reserve 2 colheres (chá) para pincelar. **2** Dissolva o fermento com o açúcar no leite morno. Junte o óleo, o restante do ovo batido e a farinha de trigo. Amasse e deixe descansar por 30 minutos. Em seguida, divida a massa em 2 partes. **Recheio** Misture todos os ingredientes. Reserve. **Montagem 1** Abra cada massa e espalhe o recheio. Enrole cada uma como rocambole, apertando bem as extremidades. Pincele o ovo reservado. **2** Coloque em assadeira untada com azeite e leve ao forno médio (180 °C), preaquecido, por cerca de 20 minutos ou até que doure.

Bolo de banana com nozes

5 bananas-nanicas maduras • 3 ovos • 1 xícara de óleo • 3 xícaras de farinha de rosca • 1 colher (sopa) de fermento em pó • ½ xícara de nozes picadas • canela em pó para polvilhar

Pique as bananas e bata no liquidificador com o restante dos ingredientes. Misture as nozes picadas e asse em fôrma untada com margarina e polvilhada com farinha de rosca em forno preaquecido por cerca de 25 minutos. Após assado, polvilhe o bolo com canela em pó.

Tempo de preparo: 1 hora
Rende 8 porções

Tempo de preparo: 1 hora   Rende 8 porções

Bolo de café e amendoim

150 g de manteiga sem sal • 2 xícaras de açúcar • 4 ovos (claras e gemas separadas) • 1 xícara de café coado forte • 2½ xícaras de farinha de trigo • 1 colher (sopa) de fermento em pó • ½ xícara de amendoim torrado e picado • açúcar e canela para polvilhar

Bata na batedeira a manteiga, o açúcar e as gemas. Sem parar de bater, acrescente o café e a farinha de trigo. Retire da batedeira e misture as claras em neve, o fermento em pó e o amendoim. Asse em fôrma untada e enfarinhada por cerca de 30 minutos. Sirva polvilhado com açúcar e canela.

Bolo de coco e laranja

Massa 4 ovos (claras e gemas separadas) • 250 g de manteiga sem sal • 200 g de açúcar • 200 g de farinha de trigo • 3 colheres (sopa) de coco ralado • 2 colheres (chá) de raspas de laranja • 1 colher (chá) de fermento em pó **Cobertura** 1 xícara de açúcar peneirado • ½ xícara de suco de laranja

Massa 1 Bata na batedeira as gemas com a manteiga e o açúcar até a mistura ficar bem cremosa. **2** Retire da batedeira e misture a farinha de trigo, o coco ralado, as raspas de laranja e o fermento em pó. Por último misture as claras batidas em neve. **3** Coloque em fôrma untada e enfarinhada e leve ao forno preaquecido por cerca de 30 minutos. **Cobertura** Coloque o açúcar em um recipiente e acrescente o suco de laranja aos poucos até obter um glacê. **Montagem** Retire o bolo do forno, espere amornar e desenforme. Espalhe a cobertura e decore a gosto.

Rende 12 porções

Tempo de preparo: 1 hora

Tempo de preparo: 1 hora e 15 minutos

Rende 10 porções

Bolo de fubá cozido

1 xícara de leite • 1 xícara de óleo • 1 lata de leite condensado • 2 xícaras de fubá • 4 ovos (claras e gemas separadas) • 1 colher (sopa) de fermento em pó

1 Em uma panela, misture o leite, o óleo, o leite condensado e o fubá. 2 Leve ao fogo e cozinhe sem parar de mexer até começar a soltar do fundo da panela. Retire do fogo e espere esfriar. 3 Depois, misture as gemas uma a uma e em seguida adicione delicadamente as claras batidas em neve e o fermento em pó. 4 Coloque em fôrma de furo central untada e polvilhada e asse em forno preaquecido por cerca de 45 minutos.

Bolo de maracujá com chocolate

Massa 3 ovos (claras e gemas separadas) • 2 xícaras de açúcar • 4 colheres de manteiga sem sal • 1 xícara de polpa de maracujá (com as sementes) • 1 xícara de chocolate meio amargo picado • 2 xícaras de farinha de trigo • 1 colher (sopa) de fermento em pó
Calda polpa de 1 maracujá • 5 colheres (sopa) de açúcar • ¼ de xícara de água

Massa Bata as gemas com o açúcar e a manteiga. Retire da batedeira e misture a polpa de maracujá, o chocolate picado, a farinha de trigo e o fermento em pó. Por último, misture delicadamente as claras batidas em neve. Asse em fôrma untada e polvilhada. **Calda** Misture a polpa de maracujá, o açúcar e a água e leve ao fogo até começar a engrossar. **Montagem** Desenforme o bolo e regue com a calda.

Tempo de preparo: 1 hora   Rende 8 porções

Bolo gelado com abacaxi

1 lata de abacaxi em calda • 4 colheres (sopa) de açúcar • coco fresco ralado para salpicar **Massa** 3 ovos (claras e gemas separadas) • 1 xícara de açúcar • 2 xícaras de farinha de trigo • 1 xícara de suco de laranja • 1 colher (sopa) de fermento em pó **Recheio** 1 lata de leite condensado • 3 xícaras de leite • 3 gemas • 1 colher (sopa) de amido de milho **Cobertura** 3 claras • 4 colheres (sopa) de açúcar • 1 lata de creme de leite gelado • ½ xícara da calda do abacaxi

Em uma assadeira untada e enfarinhada, distribua o abacaxi picado e reserve a calda. Polvilhe com o açúcar e reserve. **Massa** Bata as gemas com o açúcar, depois junte a farinha de trigo intercalando com o suco de laranja. Retire da batedeira e misture delicadamente as claras batidas em neve e o fermento em pó. Distribua a massa na assadeira e leve ao forno preaquecido por cerca de 30 minutos. **Recheio** Bata os ingredientes do recheio no liquidificador e leve ao fogo sem parar de mexer até engrossar. Deixe esfriar. **Cobertura** Misture as claras e o açúcar e leve ao fogo em banho-maria para aquecer sem parar de mexer. Bata na batedeira até obter um merengue firme e misture o creme de leite gelado. **Montagem** Regue a massa já assada com a calda do abacaxi, cubra com o creme já frio e espalhe a cobertura. Salpique o coco ralado e leve à geladeira por 6 horas. Sirva gelado.

Bolo de cenoura com chocolate

Massa 2 cenouras raladas • 1 xícara de óleo • 4 ovos • 2 xícaras de farinha de trigo • 4 colheres (sopa) de açúcar • 1 colher (sopa) de fermento em pó **Cobertura** 2 colheres (sopa) de achocolatado em pó • 1 colher (sopa) de manteiga sem sal • 3 colheres (sopa) de leite

Massa No liquidificador, bata a cenoura, o óleo e os ovos. Transfira para um recipiente e misture a farinha, o açúcar e o fermento. Coloque em uma assadeira untada e enfarinhada e asse em forno preaquecido (180 °C) por aproximadamente 30 minutos. **Cobertura** Leve todos os ingredientes ao fogo, mexendo sempre, até engrossar. Despeje sobre o bolo morno.

Rende 12 porções

Tempo de preparo: 1 hora

Rocambole doce

Recheio e cobertura 1 embalagem de creme de leite • 300 g de chocolate ao leite picado • 1 colher (chá) de essência de rum **Massa** 5 ovos (claras e gemas separadas) • 5 colheres (sopa) de açúcar • 5 colheres (sopa) de farinha de trigo • 1 colher (sopa) de fermento em pó

Recheio e cobertura Misture o creme de leite e o chocolate, leve ao fogo em banho-maria ou micro-ondas para o chocolate derreter. Junte a essência de rum e misture. Cubra com filme de PVC e leve à geladeira por 4 horas. Retire da geladeira e bata na batedeira. **Massa** Bata as claras em neve, junte as gemas uma a uma, o açúcar e bata até a mistura ficar cremosa e homogênea. Retire da batedeira e misture a farinha de trigo e o fermento. Unte uma assadeira (24 x 33 cm) com manteiga, forre com papel-manteiga e unte novamente. Coloque a massa e leve ao forno preaquecido por aproximadamente 20 minutos. Retire do forno, coloque sobre um pano e enrole, dando forma ao rocambole. Desenrole o rocambole, espalhe ¼ do creme de chocolate e enrole novamente. Cubra com o restante do creme e leve à geladeira por 1 hora. Decore a gosto.

Tempo de preparo: 1 hora e 30 minutos

Rende 10 porções

Bolo gelado embrulhado

coco ralado para envolver o bolo **Massa** 4 ovos • 1½ xícara e açúcar • ½ xícara de óleo • 1 xícara de suco de laranja • 3 xícaras de farinha de trigo • 1 colher (sopa) de fermento em pó **Calda** 1 lata de leite condensado • 1 xícara de suco de laranja

Massa Bata os ovos, o açúcar, o óleo e o suco de laranja no liquidificador. Misture a farinha de trigo e o fermento em pó. Coloque em assadeira untada e enfarinhada e leve ao forno preaquecido por cerca de 30 minutos. **Calda** Em uma tigela, misture o leite condensado e o suco de laranja. **Montagem** Retire o bolo do forno, fure-o com um garfo e molhe com metade da calda. Leve à geladeira por 4 horas. Corte o bolo em pedaços e passe-os no restante da calda e no coco ralado. Embrulhe em papel-alumínio e conserve em geladeira.

Tempo de preparo: 1 hora Rende 12 porções

Bolo pão de mel

Massa 2 xícaras de leite • ½ xícara de mel • ½ xícara de óleo de milho • 500 g de farinha de trigo • 1 xícara de açúcar • 2 colheres (chá) de canela em pó • 2 colheres (chá) de bicarbonato de sódio • ½ colher (sopa) de fermento em pó • 1 colher (chá) de cravo em pó **Calda** 1 xícara de açúcar • 1½ xícara de água • ½ xícara de chocolate em pó **Recheio** 250 g de doce de leite cremoso **Cobertura** 1 lata de leite condensado • ½ xícara de chocolate em pó • 1 colher (sopa) de manteiga

Massa No liquidificador, bata o leite, o mel e o óleo. Em uma tigela, misture os ingredientes secos e acrescente o líquido batido. Misture bem até ficar homogêneo e coloque em uma assadeira untada e enfarinhada. Leve ao forno médio preaquecido por 30 minutos aproximadamente. Retire do forno, deixe esfriar e desenforme. **Calda** Misture os ingredientes da calda e leve ao fogo médio até obter uma calda rala. **Cobertura** Misture os ingredientes e leve ao fogo sem parar de mexer até ferver e engrossar. Retire do fogo. **Montagem** Corte o bolo ao meio, regue com metade da calda e recheie com o doce de leite. Cubra com a outra parte da massa e regue com o restante da calda. Espalhe a cobertura sobre o bolo.

Bolo com biscoito

3 ovos • 1 copo de iogurte natural • ¾ de xícara de óleo • 2½ xícaras de açúcar • 2½ xícaras de farinha de trigo • 1 colher (sopa) de fermento em pó • ½ pacote de biscoitos de chocolate

Bata no liquidificador os ovos, o iogurte, o óleo e o açúcar. Transfira para uma tigela e misture a farinha de trigo, o fermento em pó e os biscoitos picados. Coloque em fôrma untada e enfarinhada e asse em forno preaquecido por cerca de 30 minutos.

Rende 10 porções

Tempo de preparo: 1 hora

Bolo brigadeiro

Rende 12 porções

Tempo de preparo: 1 hora e 15 minutos

chocolate granulado para salpicar **Massa** 5 ovos (claras e gemas separadas) • 1 xícara de açúcar • ½ xícara de chocolate em pó • 1 xícara de leite • 2 xícaras de farinha de trigo • 1 colher (sopa) de fermento em pó **Recheio e cobertura brigadeiro** 2 latas de leite condensado • 2 colheres (sopa) de manteiga sem sal • 4 colheres (sopa) de chocolate em pó • 100 g de chocolate meio amargo picado

Massa Bata na batedeira as claras em neve e, sem parar de bater, junte as gemas uma a uma e o açúcar. Acrescente o chocolate em pó intercalando com o leite. Retire da batedeira e misture a farinha de trigo e o fermento em pó. Coloque em fôrma untada e enfarinhada e asse por cerca de 40 minutos em forno preaquecido. Reserve. **Recheio e cobertura** Misture o leite condensado, a manteiga e o chocolate em pó e leve ao fogo sem parar de mexer até começar a engrossar. Retire do fogo e misture o chocolate picado até derreter. **Montagem** Corte o bolo ao meio e recheie com uma porção do brigadeiro. Cubra o bolo com o restante do brigadeiro e salpique com o chocolate granulado.

Rocambole de carne moída

salsinha picada para salpicar **Massa** 4 ovos • ½ colher (chá) de sal • ½ xícara de farinha de trigo • ½ colher (sopa) de fermento em pó **Recheio** 2 dentes de alho picados • ½ colher (sopa) de azeite de oliva • 1 tomate picado • 250 g de carne moída refogada • 3 colheres (sopa) de azeitonas picadas • ½ colher (chá) de sal • 4 colheres (sopa) de creme de ricota

Massa Bata os ovos com o sal na batedeira. Retire e junte, aos poucos, a farinha misturada com o fermento. Despeje em uma assadeira antiaderente untada e forrada com papel-manteiga. Asse em forno médio (180 °C), pre-aquecido, por 10 minutos. Desenforme sobre um pano e enrole. Reserve. **Recheio** Doure o alho no azeite quente e refogue o tomate. Junte a carne moída, as azeitonas e o sal. Pingue um pouco de água e deixe aquecer bem. **Montagem** Desenrole a massa, espalhe o creme de ricota e, por cima, coloque o recheio. Enrole novamente e salpique a salsa.

Tempo de preparo: 1 hora e 15 minutos Rende 8 porções

Pizza prática

6 fatias de pão integral • 2 tomates maduros • 1 dente de alho • ½ colher (chá) de sal • ½ colher (sopa) de azeite de oliva • 100 g de mozarela ralada • 8 tomates-cereja cortados ao meio • manjericão a gosto

Retire as cascas do pão e forre o fundo de uma fôrma para pizza untada. Não deixe nenhum espaço vazio. Reserve. No liquidificador, bata os tomates, o alho, o sal e o azeite. Se necessário, acrescente um pouco de água. Leve ao fogo até ferver e espalhe sobre as fatias de pão. Distribua a mozarela, os tomates e o manjericão e leve ao forno médio para assar até derreter o queijo.

Hambúrguer de forno

Rende 6 porções

Tempo de preparo: 1 hora

11 fatias de presunto • 11 fatias de mozarela • 2 tomates • 1 gema • gergelim para salpicar **Recheio** 700 g de carne moída • ½ cebola picada • cheiro-verde • 1 colher (chá) de sal • pimenta a gosto **Massa** 90 g de fermento biológico fresco • 3 colheres (sopa) de açúcar • ½ colher (chá) de sal • 2 xícaras de água morna • ¾ de xícara de óleo • 600 g de farinha de trigo • 400 g de farinha de trigo integral

Recheio Misture a carne com os demais ingredientes. Se possível, passe tudo junto pelo processador. Modele os hambúrgueres. Coloque em uma assadeira untada com óleo e leve-os ao forno alto por aproximadamente 15 minutos, até que estejam assados. Não deixe dourar. Retire do forno e espere esfriar para utilizar no recheio dos pães. **Massa** Dissolva o fermento no açúcar e no sal, junte a água morna, o óleo e em seguida as farinhas, até dar ponto. Sove bem. **Montagem** Faça os pães recheando com um hambúrguer, uma fatia de mozarela, uma fatia de presunto e uma fatia de tomate. Pincele com gema de ovo, salpique com gergelim e leve ao forno médio para assar.

Palitinho de parmesão

Tempo de preparo: 1 hora e 30 minutos

Rende 20 unidades

2 xícaras de farinha de trigo • 2 xícaras de farinha de trigo integral • 50 g de queijo parmesão ralado • ½ colher (chá) de sal • alecrim a gosto • 1 tablete de fermento biológico fresco • 1 xícara de leite morno • 1 ovo batido para pincelar • queijo parmesão ralado para salpicar

1 Faça um monte com a mistura de farinhas e coloque no centro o queijo ralado, o sal e o alecrim. 2 Dissolva o fermento no leite morno e despeje aos poucos no centro, misturando os ingredientes. 3 Misture tudo até obter uma massa homogênea. Deixe crescer por cerca de 30 minutos. 4 Abra a massa em uma superfície enfarinhada até obter 5 mm de espessura. 5 Corte a massa em tiras de 2 x 10 cm. Enrole duas tiras, trançando-as como uma corda. Coloque em uma assadeira antiaderente e deixe descansar por 30 minutos. 6 Pincele o ovo e salpique o queijo. Asse em forno médio (180 °C), preaquecido, até dourar.

Esfiha integral de escarola

Massa 1 tablete de fermento biológico fresco • ½ colher (sopa) de açúcar • ½ colher (sopa) de sal • 1½ xícara de água morna • ½ xícara de óleo vegetal • 2½ xícaras de farinha de trigo integral • 2 xícaras de farinha de trigo **Recheio** 3 dentes de alho picados • 2 colheres (sopa) de azeite de oliva • 1 maço de escarola limpo e picado • 1 xícara de leite • 1 colher (sopa) de amido de milho

Massa Em uma tigela, misture o fermento, o açúcar, o sal e metade da água. Aos poucos, acrescente o óleo, as farinhas e o restante da água. Trabalhe a massa até ficar bem homogênea. Deixe descansar por cerca de 1 hora. **Recheio** Doure o alho no azeite, junte a escarola e mexa até murchar. Reserve. Misture o leite e o amido de milho e leve ao fogo mexendo sempre até engrossar. Junte a escarola refogada. **Montagem** Abra a massa com o rolo em uma superfície enfarinhada e corte círculos com um cortador redondo. Coloque um pouco de recheio. Feche primeiro uma das extremidades, como se fosse fechar ao meio, mas vá até a metade da massa apenas. Depois junte a outra borda, formando um triângulo. Pincele um pouco de azeite e deixe crescer por cerca de 30 minutos. Asse em forno médio (180 °C), preaquecido, até dourar.

Tempo de preparo: 1 hora e 30 minutos   Rende 20 unidades

Tempo de preparo: 1 hora e 30 minutos   Rende 40 unidades

Enrolado de salsicha

1 ovo batido para pincelar **Massa** 2 tabletes de fermento biológico fresco • 1 xícara de leite • 4½ xícaras de farinha de trigo • 1 ovo • 1 colher (sopa) de açúcar • 1 colher (chá) de sal • ¼ de xícara de óleo **Recheio** 20 salsichas cortadas ao meio

1 Em uma vasilha, dissolva o fermento no leite. Coloque a farinha de trigo e o restante dos ingredientes da massa. 2 Sove bem, até que fique homogênea e macia. 3 Cubra com filme de PVC e deixe descansar por aproximadamente 30 minutos. 4 Depois, abra a massa com o rolo, corte em retângulos, adicione a meia salsicha e enrole. 5 Pincele o ovo batido e coloque em uma fôrma untada com manteiga. Asse em forno médio (180 °C) até que doure.

Coxinha cremosa

Coxinha 1 peito de frango com osso e sem pele • 1 cebola picada • 1 dente de alho amassado • 1 tomate sem pele e sem sementes picado • 1 colher (chá) de sal • 2 xícaras de água • 4 colheres (sopa) de leite em pó • 1 colher (sopa) de salsinha picada • 1 xícara de farinha de trigo • 1 pote de cream cheese **Para empanar** 2 claras • 2 xícaras de farinha de rosca • 2 colheres (sopa) de óleo

1 Refogue em uma panela o peito de frango, a cebola, o alho, o tomate e o sal. Cubra com a água e cozinhe por cerca de 30 minutos ou até que a carne fique macia. Retire do fogo, espere ficar morno e corte-o em cubos. Descarte o osso e reserve a carne. 2 Bata no liquidificador o caldo que ficou na panela e o leite em pó. Despeje esta mistura na panela junto com a salsinha. Quando ferver, acrescente a farinha de trigo de uma só vez e mexa até soltar da panela. Coloque a massa em um prato untado e espere esfriar. 3 Pegue porções de massa, abra na mão e recheie com um cubinho de frango e ½ colher (chá) de cream cheese. Feche bem no formato de coxinha. 4 Passe-as pelas claras, pela farinha de rosca e coloque-as em uma assadeira antiaderente untada com metade do óleo. Pincele o restante do óleo sobre as coxinhas e leve ao forno preaquecido a 200 °C por cerca de 30 minutos ou até dourar.

Rende 10 unidades

Tempo de preparo: 1 hora e 30 minutos

Folhadinho de palmito

Rende 35 unidades

Tempo de preparo: 1 hora

200 g de massa folhada congelada • salsinha picada para decorar **Recheio** 1 cebola picada • 2 colheres (chá) de azeite de oliva • 150 g de palmito picado • 1 tomate picado • 1 colher (sopa) de farinha de trigo • ½ xícara de leite • 2 colheres (sopa) de queijo parmesão ralado • 1 colher (chá) de sal

Recheio Refogue a cebola no azeite e junte o palmito e o tomate. Polvilhe a farinha e adicione o leite. Quando engrossar, adicione o parmesão e o sal e retire. Deixe amornar. **Montagem** Abra a massa folhada e corte-a em 35 triângulos. Coloque os triângulos em uma assadeira e leve ao forno médio (180° C) até dourar. Retire, espere esfriar um pouco e abra-os com uma faca, formando 2 partes. Coloque um pouco do recheio sobre uma das partes e cubra com a outra. Salpique salsinha e sirva frio ou quente.

Pipoca temperada

Tempo de preparo: 15 minutos

Rende 6 porções

1 colher (chá) de azeite de oliva • ½ xícara de milho para pipoca (100 g) • 1 colher (sopa) de manteiga sem sal • 1 colher (chá) de alecrim desidratado • 2 colheres (chá) de tirinhas de casca de limão • 1 colher (chá) de sal

1 Em uma panela grande, misture o azeite e o milho. 2 Quando começar a estourar, deixe a panela tampada até que o tempo entre um estouro e outro seja maior que 3 segundos. Desligue o fogo. 3 Abra a panela com cuidado e adicione a manteiga, o alecrim, as tirinhas de limão e o sal. Mexa para incorporar os ingredientes e coloque a pipoca em uma tigela. Sirva em seguida.

Pão de beterraba

1 kg de farinha de trigo • 1 colher (sopa) de leite em pó • 1 colher (sopa) de açúcar • 2 xícaras de água • 300 g de beterraba ralada (crua ou cozida) • 150 g de manteiga • 2 gemas • ½ colher (sopa) de sal • 70 g de fermento biológico fresco

Misture todos os ingredientes (exceto o fermento) com um pouco de água e amasse bem. Em seguida, adicione o fermento e amasse, até dar o ponto, com o restante da água, obtendo uma massa lisa e enxuta. Deixe descansar por 20 minutos. Faça duas grandes bolas com a massa. Deixe descansar novamente por mais 15 minutos. Modele os pães no formato que desejar. Leve ao forno por mais ou menos 1 hora.

Pão de cenoura

1 tablete de fermento biológico fresco • 1 colher (chá) de açúcar • 3 cenouras cozidas • 1 envelope de caldo de legumes • ¾ de xícara de água morna • 2 colheres (sopa) de manteiga • 1 ovo • 4 xícaras de farinha de trigo

1 Bata no liquidificador todos os ingredientes, exceto a farinha de trigo. 2 Coloque a farinha em um recipiente, abra uma cova no centro e despeje a mistura do liquidificador. Vá mexendo a massa até que fique firme e desgrude das mãos. Deixe descansar por 15 minutos. 3 Modele os pãezinhos, coloque-os em uma assadeira untada com manteiga e deixe crescer por mais 15 minutos. 4 Asse em forno médio (180 °C), preaquecido, por 35 minutos.

Rende 15 unidades

Tempo de preparo: 1 hora e 35 minutos

Pão de mandioquinha

Rende 14 unidades

Tempo de preparo: 1 hora e 30 minutos

1 tablete de fermento biológico fresco • ¼ de xícara de água morna • 1 colher (chá) de açúcar • 1 colher (sopa) de azeite de oliva • 2 colheres (chá) de sal • alecrim a gosto • 300 g de mandioquinha cozida levemente amassada com o garfo • 1 xícara de queijo minas ralado • 2 xícaras de farinha de trigo, aproximadamente

Dissolva o fermento na água e junte o açúcar, o azeite, o sal e o alecrim. Misture a mandioquinha e o queijo e, aos poucos, acrescente a farinha de trigo até obter uma massa mole. Deixe crescer por 40 minutos. Com a ajuda de duas colheres, modele os pãezinhos em uma assadeira antiaderente untada e asse em forno médio (180 °C), preaquecido, até dourar.

Tempo de preparo: 30 minutos

Rende 2 porções

Sanduíche de carne grelhada

2 colheres (sopa) de maionese • 2 colheres (chá) de mostarda • orégano seco a gosto • 4 fatias de pão integral • 2 bifes de coxão mole sem gordura • 2 dentes de alho amassados • ½ colher (chá) de sal • 1 xícara de alface americana picada • 1 tomate cortado em fatias finas

1 Misture a maionese, a mostarda e o orégano. Espalhe o creme em um lado de cada fatia de pão. Aqueça uma grelha antiaderente e doure os pães. Reserve. 2 Tempere a carne com o alho e o sal e grelhe. Reserve. 3 Coloque uma porção de alface sobre uma fatia de pão. Junte um bife e algumas fatias de tomate. Feche o sanduíche e sirva na hora.

Pavê de doce de leite e nozes

1 embalagem de biscoitos maisena (180 g) • ½ xícara de leite para molhar os biscoitos • nozes picadas para salpicar **Creme** 1 embalagem de pó para pudim sabor caramelo • 1⅔ xícara de leite • 1 pote de doce de leite pastoso (200 g) • 1 xícara de nozes picadas **Cobertura** 1 xícara de açúcar • 4 colheres de achocolatado em pó • 1 colher (chá) de manteiga • ½ xícara de água

Creme Misture o pó para pudim e o leite. Leve ao fogo sem parar de mexer até engrossar. Retire do fogo, espere amornar e misture o doce de leite e as nozes. Reserve. **Cobertura** Misture os ingredientes e leve ao fogo até ferver. Reserve. **Montagem** Em taças individuais, alterne camadas de creme e biscoitos molhados no leite. Finalize com a cobertura de chocolate e salpique com nozes picadas. Em seguida, leve à geladeira por 2 horas.

Creme de coco com chocolate ao forno

Creme de coco 1 lata de leite condensado • 2 gemas • 100 g de coco ralado • ½ xícara de leite • 1 colher (chá) de baunilha **Creme de chocolate** 1 embalagem de creme de leite (200 g) • 1 xícara de achocolatado • 2 colheres (chá) de manteiga **Cobertura** 3 claras • 6 colheres (sopa) de açúcar

Creme de coco Misture os ingredientes e leve ao fogo sem parar de mexer até obter uma mistura cremosa. Coloque o creme em um refratário e reserve. **Creme de chocolate 1** Misture o creme de leite, o achocolatado e a manteiga e leve ao fogo sem parar de mexer até iniciar fervura. **2** Retire do fogo, espere amornar e coloque sobre o creme de coco. **Cobertura 1** Em uma batedeira, bata as claras em neve, junte o açúcar e continue batendo até formar um merengue firme. **2** Espalhe a cobertura sobre o creme de chocolate e leve ao forno médio (180 °C), preaquecido, por cerca de 10 minutos ou até dourar. Espere esfriar e sirva gelado.

Rende 8 porções

Tempo de preparo: 40 minutos

Bombocado de canjiquinha

200 g de coco ralado em flocos • 1 xícara de leite quente • 250 g de canjiquinha (quirera) • 4½ xícaras de água • uma pitada de sal • 3½ xícaras de leite • 2 xícaras de açúcar

1 Hidrate o coco com o leite quente e reserve. 2 Lave a canjiquinha, coloque em panela de pressão junto com a água e o sal. Leve ao fogo e cozinhe por 10 minutos após o início da pressão. 3 Retire do fogo, espere sair a pressão, abra a panela e adicione o leite e o açúcar. Cozinhe mexendo de vez em quando até começar a soltar do fundo da panela. Retire do fogo e misture metade do coco ralado hidratado. 4 Coloque em uma assadeira (19 x 30 cm) untada com margarina e salpique o restante do coco. Espere esfriar e leve à geladeira por 2 horas.

Pavê de chocolate, frutas vermelhas e iogurte

Tempo de preparo: 1 hora e 30 minutos

Rende 10 porções

Bolo 5 claras • 3 colheres (sopa) de açúcar • 2 colheres (sopa) de farinha de trigo • 2 colheres (sopa) de farelo de trigo • 2 colheres (sopa) de chocolate em pó • ½ colher (sopa) de fermento em pó **Creme de chocolate** 2 xícaras de leite • 2 colheres (sopa) de leite em pó • 1 colher (sopa) de amido de milho • 2 gemas • 1 colher (chá) de essência de baunilha • 2 colheres (sopa) de chocolate em pó **Cobertura** 2 potes de iogurte sabor frutas vermelhas • ½ embalagem de gelatina em pó sem sabor • ½ xícara de água

Bolo Bata as claras em neve. Acrescente o açúcar e bata por mais 2 minutos. Retire da batedeira e acrescente a farinha de trigo, o farelo de trigo, o chocolate e o fermento em pó. Misture delicadamente e despeje em uma fôrma redonda média untada e enfarinhada. Leve para assar em forno médio preaquecido por 13 minutos. **Creme de chocolate** Coloque todos os ingredientes em uma panela e misture bem. Leve ao fogo mexendo sempre até engrossar. Deixe esfriar. **Cobertura** Bata no liquidificador o iogurte com a gelatina previamente dissolvida e aquecida na água por 3 minutos. **Montagem** Em um pirex, coloque o bolo de maneira que cubra todo o fundo da travessa. Em seguida, espalhe o creme de chocolate. Leve à geladeira por 2 horas. Depois, coloque a cobertura e leve à geladeira por mais 1 hora.

Pudim de padaria

2 xícaras de leite • 3 ovos • 1½ xícara de farinha de trigo • 1 xícara de açúcar • 2 colheres (sopa) de queijo parmesão ralado • 2 colheres (sopa) de coco ralado

Bata no liquidificador o leite com os ovos. Acrescente a farinha de trigo, o açúcar e bata por 5 minutos. Depois junte o queijo e o coco e bata mais um pouco. Coloque em uma fôrma caramelada com açúcar e leve ao forno médio preaquecido, em banho-maria, por 40 minutos.

Maria-mole

100 g de coco ralado • ½ xícara de leite quente • 5 claras • 12 colheres (sopa) de açúcar • ½ colher (chá) de essência de baunilha • 1 envelope de gelatina em pó incolor e sem sabor • ¼ de xícara de água

1 Hidrate o coco com o leite quente. Deixe descansar por 20 minutos. 2 Coloque as claras e o açúcar em um refratário e leve ao fogo em banho-maria, sem parar de mexer até aquecer. 3 Transfira para a batedeira e bata até obter um merengue firme. Sem parar de bater, acrescente a baunilha e a gelatina hidratada com a água e dissolvida em banho-maria ou micro-ondas e bata mais um pouco. 4 Unte uma assadeira com manteiga e salpique metade do coco ralado. Coloque o merengue e salpique o restante do coco ralado. 5 Leve à geladeira para firmar e corte no formato desejado.

Rende 20 porções

Tempo de preparo: 1 hora

Sonho recheado

Rende 12 unidades

Tempo de preparo: 1 hora e 30 minutos

Massa 1 tablete de fermento biológico fresco • ¾ de xícara de leite morno • 2 colheres (sopa) de açúcar • ½ colher (chá) de sal • 2 ovos • 3 colheres (sopa) manteiga • essência de baunilha a gosto • 2 xícaras de farinha de trigo, aproximadamente **Recheio** 1 xícara de geleia de morango **Para polvilhar** 4 colheres (sopa) de leite em pó • 2 colheres (sopa) de açúcar

Massa 1 Dissolva o fermento no leite e misture o açúcar e o sal. Aos poucos, acrescente o restante dos ingredientes. **2** Deixe a massa descansar por 30 minutos. **3** Modele os sonhos, coloque em uma assadeira antiaderente untada e deixe crescer novamente. **4** Asse em forno médio (180 °C), preaquecido, até dourar. **Montagem** Espere os sonhos amornarem, corte ao meio e recheie com a geleia. Misture o leite em pó e o açúcar e pincele os sonhos.

Biscoito tortinha

Massa 50 g de manteiga • 100 g de iogurte natural • 2 colheres (sopa) de açúcar • 1¼ xícara de farinha de trigo **Recheio** 1 embalagem de creme de leite (200 g) • 250 g de chocolate ao leite picado

Massa 1 Misture a manteiga, o iogurte, o açúcar e a farinha de trigo até formar uma massa firme que desgrude das mãos. Deixe descansar por 30 minutos. **2** Abra a massa em uma mesa enfarinhada e corte círculos de 7 cm de diâmetro. Com os dedos, vá formando uma borda na lateral do círculo. **3** Asse em forno médio (180° C) por cerca de 30 minutos. **Recheio** Em uma panela, esquente o creme de leite até ferver. Retire do fogo e acrescente o chocolate. Misture bem até derreter. **Montagem** Recheie as tortinhas e espere esfriar.

Tempo de preparo: 1 hora e 30 minutos

Rende 25 unidades

Tempo de preparo: 30 minutos Rende 25 unidades

Cocadinha com leite em pó

500 g de açúcar • ½ xícara de água • 200 g de leite em pó • 50 g de coco ralado

1 Misture o açúcar e a água, leve ao fogo e espere ferver. Diminua o fogo e deixe ferver por mais 2 minutos. 2 Coloque o leite em pó e o coco ralado na batedeira. Bata acrescentando a calda quente por 3 minutos ou até obter uma mistura firme. 3 Espalhe a mistura em uma assadeira untada com manteiga, espere esfriar e corte em pedaços.

Docinho de leite em pó e amêndoas

300 g de leite em pó • 1¾ xícara de açúcar • ½ xícara de amêndoas trituradas • 2 colheres (chá) de essência de amêndoas • 1 vidro de leite de coco • açúcar de confeiteiro para envolver os doces

1 Peneire e misture o leite em pó e o açúcar. 2 Junte as amêndoas trituradas, a essência e, aos poucos, o leite de coco. Misture até obter o ponto de enrolar. 3 Enrole os docinhos e envolva-os com o açúcar de confeiteiro.

Rende 20 unidades

Tempo de preparo: 30 minutos

Docinho de nozes

1 lata de leite condensado • 1 colher (sopa) de manteiga • 1 colher (sopa) de chocolate em pó • 1 colher (sopa) de farinha de trigo • 150 g de nozes trituradas • açúcar para envolver os docinhos

1 Misture o leite condensado, a manteiga, o chocolate em pó e a farinha de trigo e leve ao fogo mexendo sempre até soltar do fundo da panela. 2 Junte as nozes e misture bem. 3 Depois que esfriar, modele os docinhos e passe-os no açúcar.

Índice das receitas

O texto deste livro foi fixado conforme o acordo ortográfico vigente no Brasil desde 1º de janeiro de 2009.

Produção editorial: Editora Alaúde
Coordenação: Bia Nunes de Sousa
Revisão: Carla Bitelli, Rosi Ribeiro Melo
Capa e projeto gráfico: Cesar Godoy e Rodrigo Frazão
Imagem da autora: Ricardo Beccari
Fotos: Acervo Alaúde
Agenciamento: 2mb Licenciamento, Marketing, Representações

Impressão e acabamento: Ipsis Gráfica e Editora S/A
1ª edição, 2017

Dados Internacionais de Catalogação na Publicação (CIP)
(Câmara Brasileira do Livro, SP, Brasil)

Onofre, Palmirinha
Delícias da vovó / Palmirinha. -- São Paulo : Alaúde Editorial, 2016.

ISBN: 978-85-7881-404-5

1. Culinária (Receitas) I. Título.

16-08644 CDD-641.5

Índices para catálogo sistemático:
1. Receitas : Culinária : Economia doméstica
641.5

2017
Alaúde Editorial Ltda.
Avenida Paulista, 1337
conjunto 11, Bela Vista
São Paulo, SP, 01311-200
Tel.: (11) 5572-9474
www.alaude.com.br

Compartilhe a sua opinião
sobre este livro usando a hashtag
#DelíciasDaVovó
nas nossas redes sociais:

/EditoraAlaude
/EditoraAlaude

/AlaudeEditora